Fear an Mhála

Enric Lluch / Miguel Ángel Díez

LEABHAR
BREAC

Bhí Fear an Mhála ag taisteal, lá,
agus tháinig sé anuas den traein
i mbaile beag.
'Meas tú an bhfuil mórán páistí dána
ar an mbaile seo?' a dúirt sé.
'Má tá, líonfaidh mé mo mhála leo!'

Labhair sé le fear an chroiméil, agus d'inis seisean dó go raibh an baile beag lán le páistí dána.
'Ní itheann siad a ndinnéar, agus ní théann siad a chodladh go luath.'
Bhí Fear an Mhála an-sásta é sin a chloisteáil.

Chuaigh sé go dtí an pháirc ina raibh na páistí dána ag spraoi.

'Tá sé in am dul abhaile agus bhur ndinnéar a ithe,' a dúirt a dtuismitheoirí leo, 'agus ansin dul a chodladh.'

'Nílimid ag iarraidh dul abhaile,' a dúirt na páistí dána. 'Nílimid ag iarraidh!'

Tháinig Fear an Mhála, chroch sé
leis na páistí dána, agus shac sé
síos ina mhála iad.
'Tá mo dhóthain bia agam ansin,'
a dúirt sé leis féin, 'go ceann trí lá.'

Ach sula n–íosfadh sé na páistí, bhí sé ag
iarraidh iad a ramhrú.
Réitigh sé dinnéar mór dóibh.
'Tá sibh róthanaí,' a dúirt sé leo. 'Ithigí
gach uile ghreim.'

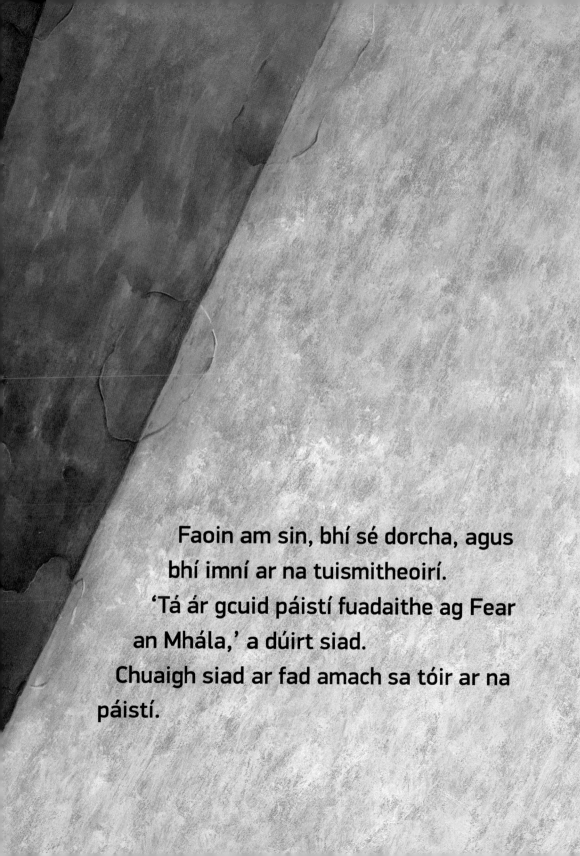

Faoin am sin, bhí sé dorcha, agus
bhí imní ar na tuismitheoirí.
'Tá ár gcuid páistí fuadaithe ag Fear
an Mhála,' a dúirt siad.
Chuaigh siad ar fad amach sa tóir ar na
páistí.

Nuair nach raibh na páistí sásta an bia a
bhí sa phota a ithe, chuaigh Fear an Mhála
go dtí an bhialann.
'Tabhair dom céad ceapaire go beo,' a
dúirt sé leis an bhfreastalaí.

Ar dtús, ní raibh na páistí sásta leis na ceapairí ach an oiread.

Mar sin, chuir Fear an Mhála aghaidh chrosta air féin, agus d'ith siad na ceapairí gan focal astu.

Ar deireadh, tháinig na tuismitheoirí ar theach Fhear an Mhála, agus chonaic siad na páistí taobh istigh ag ithe na gceapairí. 'Is míorúilt é,' a dúirt siad. 'Tá siad ag ithe, gan focal astu!'

Tar éis dinnéir thosaigh na páistí ag
cleasaíocht agus ag pleidhcíocht.
Chuir Fear an Mhála aghaidh chrosta
air féin arís agus dúirt sé leo dul a
chodladh 'nó cuirfidh mé iallach oraibh
coinneáil oraibh ag ithe go dtí go
bpléascfaidh sibh!'

Chan sé suantraí dóibh, ansin thug sé
ordú dóibh.
'Aon duine nach mbeidh sa leaba i gceann
nóiméid cuirfidh mé iallach air na soithí
ar fad a ní!'
Níor chreid na tuismitheoirí an méid a
chonaic siad.

D'iarr na tuismitheoirí ar Fhear an
Mhála fanacht ar an mbaile beag.
'Ní fhanfaidh,' a dúirt Fear an Mhála.
'Táimse ag dul in áit éigin a bhfuil
páistí dána ann!'
Agus leis sin, d'imigh sé.

Cófraí lán ARRACHTAÍ

Fear an Mhála

An charóg.
Téann sí ag
fiach páistí
in éineacht
le Fear an
Mhála.

Mála mór fuaite
agus paisteáilte
(chun páistí a chur
síos ann).

Seanchóta
mór
Scanrúil

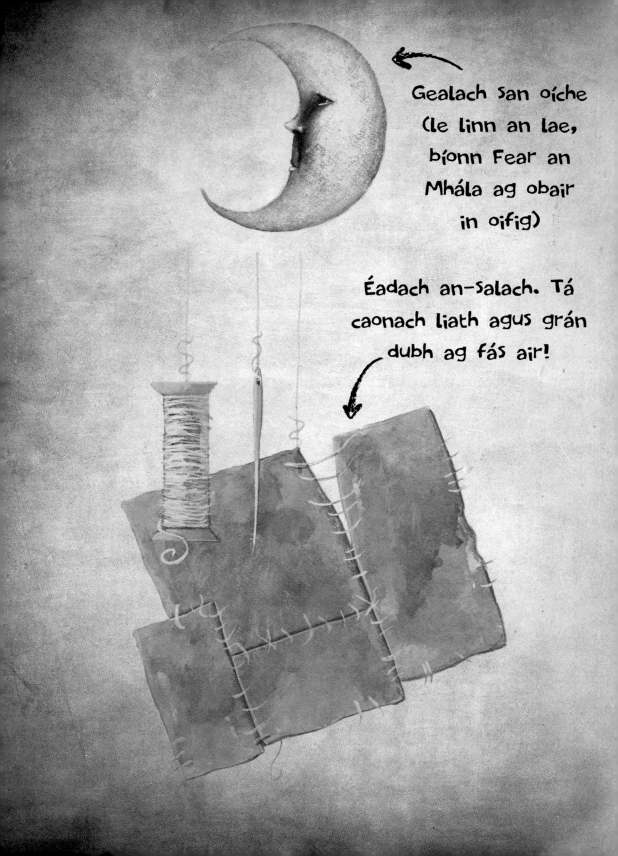

Gealach san oíche
(le linn an lae,
bíonn Fear an
Mhála ag obair
in oifig)

Éadach an-salach. Tá
caonach liath agus grán
dubh ag fás air!

Lámh páiste.

Mála Fhear
an Mhála

An Chomhairle um Oideachas
Gaeltachta & Gaelscolaíochta

Faigheann Leabhar Breac cúnamh airgid ó Fhoras na
Gaeilge

Foras na Gaeilge

Faigheann Leabhar Breac cúnamh airgid ón
gComhairle Ealaíon

Teideal i gCatalóinis: *L'home del sac*
©Enric Lluch Girbés, 2010
   Leagan Gaeilge © Leabhar Breac, 2014
   www.leabharbreac.com
©Ealaín: Miguel Ángel Díez Navarro, 2010
©Edicions Bromera
   Polígon Industrial 1
   46600 Alzira (An Spáinn)
   www.bromera.com/monsters
Dearadh: Pere Fuster
Priontáil: PSG
ISBN: 978-1-909907-46-1